# Hors-jeu pour Malik?

*À la mémoire de mon grand-père, Raymond*
*E. T.*

© 2010 Éditions Nathan (Paris-France), pour la première édition
© 2014 Éditions NATHAN, SEJER,
25 avenue Pierre de Coubertin, 75013 Paris, pour la présente édition
Loi n° 49-956 du 16 juillet 1949 sur les publications destinées à la jeunesse,
modifiée par la loi n° 2011-525 du 17 mai 2011
ISBN : 978-2-09-255267-4
N° éditeur : 10200460 - Dépôt légal : juin 2014
Imprimé en mai 2014 par Pollina (85400 Luçon, France) - L68536B

EMMANUEL TRÉDEZ

## Hors-jeu pour Malik ?

Illustrations de Clément Devaux

Ancien joueur de foot professionnel, **Raymond** a accepté d'entraîner les Lynx et compte bien les emmener en finale de la coupe !

Calme, toujours de bonne humeur, **Luigi** est le capitaine et le meneur de jeu de l'équipe.

**Plop** vient de la planète Kawa. Même s'il est trop modeste pour le reconnaître, c'est un excellent gardien de but.

**Enguerrand** est une encyclopédie du football. Sur le terrain, hélas, il est trop souvent trahi par ses pieds !

**Malik** est un garçon très doué.
Pour l'école comme pour le foot.
Mais il ne faut pas trop lui demander
de travailler !

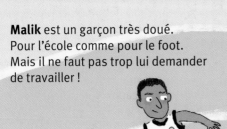

**Morgane** est la preuve
vivante qu'on peut être
une jolie fille et savoir
jouer au foot.
Elle jongle et dribble
mieux que n'importe
qui dans l'équipe.

Beau garçon, sûr de lui,
**Ben** attire les filles
comme des mouches.
C'est un cancre à l'école,
mais un génie du football.

**Zac** est le meilleur ami de Luigi.
Au foot, sa motivation parvient
parfois à faire oublier ses kilos en trop.

# un

# Le moral
# dans les chaussettes

Vendredi 10 octobre 2182. L'horloge numérique de l'école indique 16 heures 40. Cela fait déjà dix minutes que la cloche a sonné. Devant la porte, les Lynx attendent leur entraîneur : au lendemain de leur victoire contre les Kangourous, Raymond a promis de passer les prendre après la classe. Direction le stade, pour leur premier entraînement. Il s'agit de bien préparer le match contre les Grizzlis, en quart de finale !

– C'est curieux que Raymond ne soit pas là, s'inquiète Luigi.

– Il a peut-être oublié qu'il nous avait donné rendez-vous, répond Zac en entamant son deuxième pain aux raisins.

– Ce n'est pas le genre de mon grand-père ! fait Morgane.

Soudain, Plop pointe le plus long de ses quatre doigts vers le ciel.

– Lui arriver ! s'écrie le Kawok.

Quelques secondes plus tard, Raymond pose son aviobus devant l'école. Tandis que

les enfants grimpent à l'arrière, il leur annonce la mauvaise nouvelle.

– Je viens d'avoir une conversation avec monsieur Lapière, votre directeur. Les Kangourous ont déposé une réclamation : ils contestent le fait que Plop puisse utiliser ses quatre mains.

– Qu'est-ce qu'on risque ? demande Luigi.

– On peut être obligé de remplacer Plop et de rejouer le match. Le directeur doit interroger la Fédération.

– Qu'est-ce que la Fédération vient faire là-dedans ? s'étonne Ben.

– Tu sais qu'en ce moment même, chaque école de Tipari organise sa propre coupe de mini-foot. La question des joueurs extra-terrestres concerne donc toutes les équipes, et la même règle doit s'appliquer partout.

Peu après, Raymond se gare sur l'aéro-parking du stade. À l'exception de Ben et de Morgane, qui jouent en club, les enfants vont pénétrer pour la première fois dans les vestiaires d'un stade de foot. Zac est très impressionné :

– C'est comme les pros !

Au bout d'un quart d'heure, les joueurs sortent des vestiaires, traversent le terrain et se mettent en cercle autour de Raymond, dans le rond central.

– Bon, nous allons commencer par un échauffement. Vous allez me faire trois fois le tour du terrain, au petit trot.

En bon capitaine, Luigi prend la tête du peloton. Malik, quant à lui, n'a pas bougé un orteil.

– Eh bien, fait Raymond, qu'est-ce que tu attends ?

– Je n'aime pas courir. On ne peut pas juste jouer au foot ?

– Non, ceux qui ne s'échauffent pas ne jouent pas. À toi de choisir, mon gars !

Malik obéit à contre-cœur. Au bout d'une centaine de mètres, il rejoint Zac, qui est déjà à la traîne, puis le groupe formé par Morgane, Luigi et Enguerrand.

Depuis quelques jours qu'elle connaît Malik, Morgane n'est plus aussi dure envers lui. Elle profite de ce moment où ils courent côte à côte pour engager la conversation.

– Qu'est-ce qui ne va pas, Malik ?

– À ton avis ! Tu as déjà été sifflée pendant tout un match ? Je peux te dire que ça n'a rien de drôle !

Et les sifflets, lors du match contre les Kangourous, Morgane sait très bien à qui on

les doit : à Armand. C'est lui qui a lancé les
premiers sifflets. Elle demande à Malik :

— Qu'est-ce qui s'est vraiment passé avec
Armand ?

— On jouait aux anneaux dans la cour…

Ce jeu traditionnel, revenu à la mode en

cette année 2182, consiste à lancer des anneaux de façon à les enfiler sur des piquets
placés à trois mètres.

– On avait parié des hologrammes de
monstres. J'ai gagné la partie, mais Armand
n'a jamais voulu me les donner. J'ai dû les
lui prendre de force.

– Tu l'as envoyé à l'infirmerie !

– Je ne sais pas comment, je l'ai à peine touché ! En tout cas, il a prétendu que je lui avais sauté dessus par derrière et volé ses hologrammes. C'est moi qui passe pour le méchant, mais s'il y a quelqu'un de malhonnête, c'est lui.

– Armand est un bon copain. Je l'appellerai ce soir, lui promet Morgane.

# deux

# Un entraînement de pros !

Les tours de stade achevés, Raymond expose à ses joueurs le programme de l'entraînement et leur donne les consignes pour chaque exercice.

À son signal, les enfants se mettent d'abord à courir en levant les genoux aussi haut que possible, puis en pliant les jambes de façon à toucher leurs fesses avec leurs talons – facile pour Zac, avec son derrière rebondi !

Ils concluent cette série d'exercices par un sprint.

Après quelques étirements, Raymond sort sept ballons d'un sac super extensible.

– Vous allez me faire des jongles. Vingt du pied droit, vingt du pied gauche. Après, vous alternerez les deux pieds. Vous verrez, c'est bon pour apprendre à contrôler le ballon. Allez, c'est parti !

À ce petit jeu-là, Ben et Morgane surpassent de loin leurs camarades.

Raymond dispose ensuite deux plots à un mètre de distance et place les joueurs à six mètres.

Chacun doit frapper cinq ballons et marquer le plus de buts possible. Le pauvre Enguerrand est si maladroit qu'il manquerait un éléphant dans un couloir !

Au bout d'une demi-heure, le coach laisse enfin les enfants faire un match.

– Réjouis-toi, Malik, lui fait Raymond, tu vas pouvoir jouer au ballon !

Plus tard, de retour chez elle, Morgane sort son visiophone et appelle Armand. Elle compte bien le convaincre de laisser Malik tranquille. Il y va de la survie de l'équipe !

À peine Armand a-t-il décroché que Morgane lui dit :

– C'est vrai que tu as refusé de donner à Malik les hologrammes qu'il avait gagnés ?

– C'est Malik qui t'a raconté ça ? Et bien sûr, tu préfères le croire lui plutôt que moi !

– Si tu me jures que tu n'as rien fait, je te croirai.

– Je te le jure.

– Et si je te demande d'arrêter de siffler Malik lors des matchs ?

– Ce n'est pas ma faute si personne ne peut le sentir ! En plus, je serai sur le terrain. Nous allons jouer l'un contre l'autre, tu as oublié ?

Armand joue dans l'équipe des Grizzlis.

– Un conseil, n'approche pas trop Malik !
avertit Morgane.

– C'est toi qui vas le défendre ?

– Il est assez grand pour se défendre tout
seul. Tu en sais quelque chose, non ?

Morgane raccroche, doublement déçue :
Malik lui a menti et son coup de visiophone
n'a rien réglé du tout. Au contraire !

# trois

# Des rires et des larmes

LE LUNDI MATIN, une mauvaise surprise attend les Lynx : Zac est cloué au lit par la fièvre, et il ne pourra pas tenir sa place lors du match contre les Grizzlis.

Plus tard, à la récré, Armand se plaint d'avoir été agressé par un autre élève, Julien. Les deux garçons sont aussitôt conduits chez le directeur. Armand a des griffures

sur le visage et les vêtements à moitié dé-
chirés. Visiblement, il s'est bagarré.

– Que s'est-il passé, Armand ? demande
le directeur, préoccupé.

– Julien a voulu me piquer mes hologrammes, il s'est jeté sur moi !

– Encore ces satanés hologrammes ! s'ex-
clame le directeur. Je vais finir par les inter-
dire à l'école ! Et toi, Julien, qu'est-ce que tu
réponds à cela ?

– C'est un menteur ! Je ne lui ai rien fait !

Soudain, on frappe à la porte. Madame
Bertrand, la maîtresse des CE2B, entre dans
le bureau, accompagnée d'Enguerrand.

– Enguerrand a quelque chose d'impor-
tant à vous dire, monsieur Lapière.

– Je t'écoute, mon garçon.

– Tout à l'heure, j'ai vu Armand déchirer
sa chemise dans les toilettes. J'ai trouvé ça
bizarre, alors j'en ai parlé à la maîtresse.

Il se fait soudain un grand silence dans le bureau du directeur.

– Qu'est-ce que cela signifie, Armand ?! l'apostrophe monsieur Lapière. Tu as voulu nous faire croire que Julien t'avait agressé !?

Armand baisse la tête.

– Et je suis prêt à parier que Malik ne t'avait pas fait bien mal non plus, reprend-il. Tu sais que par ta faute il a été renvoyé de l'école pendant trois jours ? Tu n'as pas honte ?

Armand garde le silence. Comment pourrait-il se justifier?

– Tu mérites une bonne punition! En attendant que je trouve la sanction appropriée, tu peux regagner ta salle de classe.

Après la cantine, le directeur reçoit les entraîneurs et les capitaines des seize équipes de mini-foot.

– La Fédération a rendu son verdict, leur annonce-t-il. Il n'y a rien dans le règlement

qui interdise à Plop de se saisir de la balle avec l'une ou l'autre de ses quatre mains. Plop n'est pas le seul extraterrestre à faire partie d'une équipe de mini-foot. Je ne parle pas seulement de votre camarade Arz, en CE2C, mais des extraterrestres des autres écoles de Tipari : certains joueurs ont une détente incroyable, d'autres une vitesse de pointe phénoménale… C'est pareil pour les humains : dans chaque équipe, il y a des

joueurs petits et d'autres grands, des joueurs rapides et d'autres lents, des joueurs adroits et d'autres maladroits. Chacun joue avec ses atouts et ses handicaps. C'est ça, le football !

Quelques secondes plus tard, les Lynx, qui attendaient devant la porte, sautent de joie en apprenant la bonne nouvelle.

– S'il vous plaît, les enfants ! les interrompt Raymond. Laissez-moi vous donner la composition de l'équipe qui débutera le match contre les Grizzlis : Plop dans les buts. À l'arrière, Malik et Morgane. Au milieu, Luigi. En attaque, Ben. Il faudra vous ménager car nous n'aurons qu'un seul remplaçant !

– M'sieur, je voulais vous dire, fait Malik en levant une main timide. Je préférerais ne pas jouer contre les Grizzlis.

– Qu'est-ce qui t'arrive ? Tu es malade ? s'étonne Raymond.

– Ce n'est pas ça, mais…

– Eh bien quoi, Malik ? On t'écoute !

– C'est à cause des sifflets du public…

Malik observe Morgane du coin de l'œil. A-t-elle pu parler à Armand, comme elle l'avait promis ?

– Je comprends, mon garçon, finit par répondre le coach. Enguerrand, tu joueras en défense à côté de Morgane. Toi, Malik, tu rentreras plus tard, ça te va comme ça ?

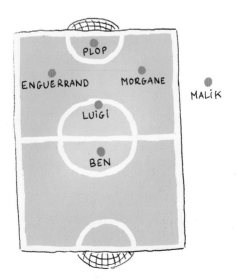

# quatre

# Plop fait des miracles !

Le lendemain, après l'école, tandis que les deux équipes sortent du gymnase, la cour est noire de monde.

Personne ne veut rater le match qui oppose les Lynx aux Grizzlis, le premier quart de finale. En gagnant le banc des remplaçants, Malik tombe sur Armand, qui est également remplaçant chez les Grizzlis. Mais il préfère l'ignorer.

L'arbitre, monsieur Fernandez, le professeur d'arts visuels, appelle les deux capitaines pour le toss – et non pas le toast, comme l'a longtemps cru ce gourmand de Zac ! Il sort de sa poche un hologramme pour procéder au tirage au sort. Le fanion tourne, tourne, et finit par se parer des couleurs des Lynx. Luigi choisit l'engagement et laisse aux Grizzlis le choix du terrain. Peu après, l'arbitre siffle le coup d'envoi du match.

À la troisième minute, Morgane, sur l'aile gauche, adresse un beau centre en hauteur à Ben qui contrôle le ballon de la poitrine avant de le reprendre de volée du pied gauche. Joachim, le gardien de but, réalise une belle parade.

Deux minutes plus tard, ce sont les Grizzlis qui sont à deux doigts d'ouvrir le score : leur avant-centre, Théo, se présente seul devant Plop. Sans hésiter, le Kawok plonge dans les pieds de l'attaquant et lui subtilise le ballon. Quelle chance que la Fédération n'ait pas privé les Lynx de leur gardien !

À la dixième minute, Ben dribble Manu, le défenseur, et file au but, mais il est retenu par le maillot. La faute a eu lieu sous les yeux de l'arbitre, qui siffle un coup franc. Raymond se lève d'un bond, furieux : cette faute méritait un carton rouge ! Quant à Ben, il n'a qu'une envie : donner un coup de poing à Manu. Heureusement, ses partenaires

s'interposent. Luigi tire le coup franc. Son tir, brossé, contourne le mur formé par les joueurs, mais Joachim parvient à détourner le ballon sur le poteau.

Juste avant la pause, Plop aperçoit Luigi, démarqué sur l'aile gauche. D'un dégagement à la main à la fois puissant et précis, il lui envoie le ballon. Luigi déborde sur le côté gauche et adresse un beau centre à Ben, dont la tête plongeante rase le poteau.

C'est la mi-temps. Il y a toujours 0 à 0.

Deux minutes après la reprise, Luigi reçoit la balle au milieu du terrain. Il lève la tête et avise Morgane en position d'ailier droit. Au moment où il s'apprête à lui faire la passe, Théo l'attaque par derrière et, en tentant de lui prendre la balle, lui donne sans le vouloir un coup de genou dans la cuisse. Luigi tombe en se tordant de douleur. Une béquille, ça fait un mal de chien ! Il va devoir sortir.

Raymond se tourne vers Malik. S'il n'entre pas, les Lynx devront jouer toute une mi-temps en infériorité numérique.

– Nous avons besoin de toi, Malik. Est-ce que tu veux bien remplacer Luigi ?

Malik hésite.

– S'il te plaît, Malik, le supplie Morgane, qui les a rejoints.

Malik doit bien ça à ses nouveaux copains.

– C'est d'accord, fait-il en retirant son survêtement.

– Morgane, tu passes au milieu. Toi, Malik, tu prends sa place en défense.

L'entraîneur des Grizzlis profite de l'arrêt de jeu pour faire entrer Armand à la place de Théo. Morgane et Luigi échangent alors un regard plein d'inquiétude.

# cinq

# Malik retrouve le sourire !

P AR UN CURIEUX HASARD, Malik et Armand, les deux ennemis jurés de la cour de récré, entrent donc sur le terrain en même temps, sous les huées du public. « Le cauchemar recommence », se dit Malik. Leur duel, qui avait débuté avec le jeu des anneaux, va donc se poursuivre sur le terrain de foot : Armand est attaquant, Malik défenseur.

Quelques secondes plus tard, alors qu'Armand touche son premier ballon, les sifflets reprennent dans le public. Ainsi, ce n'est pas Malik, mais Armand qui est la cible des spectateurs : les élèves n'ont pas oublié ce qu'il a fait à Julien, la veille, et à Malik, quelques semaines auparavant.

À la cinquième minute, Plop passe le ballon à Malik. Armand, en pointe, se précipite vers lui pour tenter de lui prendre le ballon. Mais Malik ne se laisse pas impressionner et réussit à mettre Armand dans le vent d'une audacieuse roulette.

Une minute plus tard, Armand s'enfonce dans la surface de réparation. Morgane, en voulant tacler le ballon, lui prend la jambe d'appui. La faute est involontaire, mais l'arbitre n'a pas d'autre choix que de siffler un penalty. Tandis qu'Armand place son ballon, le public se remet à huer l'attaquant. Armand s'élance et tire sur la gauche du gardien.

Plop est pris à contrepied, mais un réflexe stupéfiant lui permet de détourner le ballon du bout de la chaussure. Comme quoi, cela peut servir de chausser du 42 à huit ans !

Cependant, dans le duel qui oppose Malik et Armand, le défenseur des Lynx prend le dessus. Crochets, passements de jambe… Malik fait tourner Armand en bourrique sous les « olé » du public. Pas de doute qu'il prend de nouveau plaisir à jouer ! Morgane en est heureuse pour lui.

À la neuvième minute, Enguerrand manque son contrôle. Armand, en embuscade, récupère la balle et dribble Plop. Il n'a plus qu'à pousser la balle au fond des filets, mais au prix d'une belle glissade, Malik arrête le ballon sur la ligne. Quelle occasion manquée pour les Grizzlis !

Il reste trois minutes à jouer. Ben franchit la ligne centrale, balle aux pieds. Il dribble un joueur et déborde sur l'aile droite avant

de centrer. Malik, en position d'avant-centre, laisse passer le ballon entre ses jambes pour le reprendre avec le talon droit, placé derrière sa jambe gauche. Cette magistrale talonnade «à la Rabah Madjer», un grand joueur algérien du XX$^e$ siècle, trompe le goal adverse. Les Lynx ouvrent enfin la marque!

À peine les Grizzlis ont-ils engagé que l'arbitre siffle la fin du match. Les Lynx l'emportent et se qualifient ainsi pour les demi-finales. Aussitôt, Raymond se précipite sur le terrain pour féliciter ses joueurs : les Lynx ont remporté une belle victoire et Malik, le héros du match, a marqué un but somptueux.

– Eh bien, mon garçon, voilà un beau coup de talon de la part de quelqu'un qui a beaucoup de talent! conclut-il, fier de son jeu de mots.

FIN

# TABLE DES MATIÈRES

# Emmanuel Trédez

J'ai toujours beaucoup joué au football : dans les jardins publics, à la maison (au grand désespoir de mes parents pour la casse et de mes voisins du dessous pour les plongeons bruyants), mais j'ai toujours préféré le « foot de cour ». Au collège, à l'heure du déjeuner, on jouait sur le terrain de handball ; c'est les grands de troisième qui formaient les équipes. Au lycée, on réquisitionnait le terrain de basket et pour marquer, il fallait toucher le poteau. Une année, loin d'être favorite, mon équipe avait remporté le tournoi ! Aujourd'hui, j'ai moins l'occasion de jouer au foot, sauf parfois avec mon fils... quand il est d'accord !

# Clément Devaux

Clément Devaux est né en 1979. Droitier, il est issu du centre de formation des Arts Décos de Paris. Depuis 2004 il évolue au poste d'illustrateur au sein des plus grands clubs, tels que le F.C. Nathan, l'A.C. Bayard, ou le Dynamo Gallimard. Joueur polyvalent, il compte à ce jour une quinzaine de réalisations en championnat, dont la BD *Anatole Latuile* en compagnie du duo d'attaque Anne Didier et Olivier Muller.

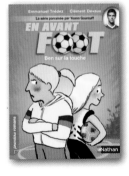

## Ben sur la touche

Une série écrite par Emmanuel Trédez
Illustrée par Clément Devaux

« – **M**organe ! Morgane ! On peut avoir un autographe, s'il te plaît ?

Ce lundi 24 octobre, à la récré de 10 heures, trois filles de CP tendent un stylet à Morgane pour qu'elle appose sa signature sur leur tablette numérique.

Morgane est un peu surprise par la demande des filles. Elle n'a pas encore réalisé que depuis la demi-finale de mini-foot contre les Alligators, quelques jours plus tôt, elle est devenue une star à l'école Victor-Tillon. Surtout, ce matin-là, son portrait s'affiche à la une du deuxième numéro d'Allez les Lynx ! »

Les Lynx profitent de leur victoire et sont les stars de l'école. Mais il ne faudrait pas que cette soudaine célébrité sème la zizanie dans l'équipe...